http://www.casterman.com
D'après les personnages créés par Gilbert Delahaye et Marcel Marlier / Léaucour Création.
Achevé d'imprimer en janvier 2018, en Tchéquie. Dépôt légal : octobre 2012 ; D. 2012/0053/294.
Déposé au ministère de la Justice, Paris (loi n° 49.956 du 16 juillet 1949 sur les publications destinées à la jeunesse).
N° d'édition : L.10EJCN000334.C008
ISBN 978-2-203-06086-9

martine

les plus belles histoires à lire le soir

martine

au cirque

MARLIER

C’est la nuit. Dehors, les étoiles brillent, les fleurs se reposent, les arbres dorment. Dans la chambre de Martine, les jouets sont rangés. La poupée s’ennuie. L’ours en peluche et le lapin bâillent. Dans son lit, Martine fait un songe extraordinaire.

Elle rêve qu’elle travaille dans un cirque avec des clowns, des chevaux, des éléphants et des lions.

Dans le cirque de Martine, on a invité les élèves de toutes les écoles.

Il y en a jusque tout en haut, près des musiciens.

Lorsque tout le monde est assis, on allume les lumières : la blanche, la rouge, la bleue, et Martine s'avance au milieu de la piste.

Elle n'a pas peur du tout.

Elle salue à droite, puis à gauche et dit :

– **Mes chers amis, la séance va commencer.**

Tout d'abord, voici les clowns Pif et Paf.

– Bonjour, Martine. Comment s'appelle ta poupée ?

– Elle s'appelle Françoise. Elle marche toute seule. Elle rit et elle pleure.

– **Eh bien !** dit Pif, je vais lui raconter l'histoire de l'éléphant qui a perdu ses oreilles en se baignant dans la rivière.

Lorsque Pif raconte l'histoire de l'éléphant qui a perdu ses oreilles,

les musiciens du cirque n'arrivent plus à souffler dans leurs trompettes.

Les singes dansent de plaisir dans la ménagerie.

L'ours rit tout seul et balance la tête sans rien dire.

A-t-on jamais vu clown aussi drôle ?

Même derrière le rideau des coulisses, le dompteur, le nain et le cow-boy

écoutent l'histoire de Pif. Elle est tellement amusante !

Pif a terminé son histoire. Vite, Martine va changer de costume dans les coulisses. Là, il y a des robes, des chapeaux, des rubans et Martine s'habille comme il lui plaît.

Dans les coulisses, Martine retrouve son chien Patapouf.

Patapouf aime bien le sucre, mais il préfère marcher sur deux pattes et rouler à bicyclette.

La bicyclette de Martine est toute neuve. Ses rayons brillent comme un soleil. Martine en est très fière. Son papa, qui est équilibriste, la lui a achetée pour son anniversaire.
Quand Martine roule autour de la piste avec son chien Patapouf, les enfants applaudissent si fort que Patapouf n'ose même plus tourner la tête.

Après la promenade à vélo, la partie de patins à roulettes. Patapouf rêve de rouler sur le plancher de la piste avec les patins de Martine. Mais il paraît qu'on n'a jamais vu cela, même au cirque.

– Ce n'est rien, se dit-il. Cette nuit, quand Martine dormira, je vais essayer. **Et, foi de Patapouf, je parie que je réussirai.**

Martine sait aussi faire danser les chevaux du cirque : le blanc et le noir.
Le blanc s'appelle Pâquerette, le noir, Balthazar.
Les chevaux de Martine marchent au son du tambour comme les soldats.
Ils saluent de la tête et Martine les appelle par leur nom, tant ils sont polis et bien éduqués.

À l'entracte, pendant qu'on prépare la piste, Martine vend des friandises. Elle porte une casquette et un uniforme avec des galons. Un petit garçon lui demande :

– Martine, donne-moi du chocolat aux noisettes, du nougat et un sucre d'orge.

– Voilà un petit garçon bien gourmand !... pense Martine en lui donnant un bâton de nougat.

Quand tous les enfants ont goûté les bonbons de Martine et qu'ils ont été à la ménagerie admirer les tigres, les lions et les ours, on tend un fil au-dessus de la piste.

Soudain, un roulement de tambour. Puis un grand silence.

Martine se met à danser sur le fil. Avec ses chaussons blancs et son ombrelle, elle est aussi légère qu'un papillon. On dirait qu'elle va s'envoler. C'est une vraie danseuse !

Après quoi, Martine appelle Trompette, l'éléphant.

– **Voilà, voilà, qu'y a-t-il ?** répond l'animal sans se presser.

– Comme tu es en retard ! Nous avons juste le temps de faire une promenade ensemble.

– C'est que, voyez-vous, Mademoiselle, j'ai emmené mon bébé avec moi. Et, vous savez, il ne tient pas bien sur ses jambes.

Le cirque de Martine a fait deux fois le tour du monde. On l'appelle le « Cirque Merveilleux ». Les grandes personnes s'imaginent que c'est un cirque tout à fait comme les autres. Cependant, on raconte qu'une fée le suit dans tous ses voyages.

Et devinez qui a donné à Martine la baguette magique avec le chapeau, le lapin, les pigeons et les foulards ?

C'est la fée du « Cirque Merveilleux ». Mais il ne faut pas le répéter à n'importe qui.

Voici que les clowns Pif et Paf ont changé de costume.

Personne ne les reconnaît. Pif porte un habit couvert de diamants.

Paf a mis son pantalon rayé, sa nouvelle cravate et ses chaussures de trois kilomètres.

– Nous allons jouer de la musique, dit Pif.

– Pour Martine et tous nos amis, ajoute Paf.

– **Bravo ! Bravo !** crient les garçons sur les bancs.

Martine aime beaucoup les lions. Sans hésiter, elle entre dans
leur cage. Comme ils sont paresseux ! D'un coup de fouet elle les éveille.
– **Debout, Cactus, au travail... Allons Caprice !**
Mettez-vous à votre place. Ne voyez-vous pas qu'on vous regarde ?
Mon petit doigt me dit que vous vous êtes encore disputés aujourd'hui.
Comme punition, vous allez vous asseoir sur ce tabouret.

Maintenant la séance est terminée.

– Tout le monde s'est bien amusé ? demande Martine.

– **Oui, oui,** fait-on de tous côtés.

– Nous allons démonter le cirque. Nous partons dans une autre ville.

– Puisque tu nous quittes, voici un bouquet de fleurs, dit un garçon.

Et un ruban pour Patapouf.

Après la séance, Martine rejoint son ami Martin.

Quand Martine demande à Martin :

– Quoi de neuf, ce soir ?

– **Hélas !** répond l'ours en dépliant son journal, je ne sais pas lire.

– Mon pauvre Martin, il faudra que je t'apprenne l'alphabet !

Martine, Martin et Patapouf vont continuer leur voyage autour du monde avec le cirque. On se bouscule pour les voir partir.
Tous les amis de Martine applaudissent. Cela fait tant de bruit que Martine se réveille. Elle se retrouve dans son lit, entourée de sa poupée, de son ours et de son lapin. C'est le matin.
Adieu, le Cirque Merveilleux ! **Vite,** il faut se débarbouiller pour aller à l'école...

martine

petit rat de l'opéra

Un jour, Martine dit à maman :
– J'aimerais tant savoir danser comme Françoise, ma petite amie !
Je crois que j'y arriverais.

– Tu sais, on ne devient pas danseuse du jour au lendemain.

– Cela ne fait rien, j'apprendrai.

– Il faudra que tu ailles à l'école de danse.

– Si papa est d'accord, j'irai m'inscrire, avait répondu Martine.

Maman s'est laissé convaincre. Papa a dit oui.

Enfin, après avoir passé un examen médical, Martine, accompagnée de son amie Françoise, est entrée à l'école de danse.

Les premières leçons ne furent pas faciles du tout pour Martine. Mais à présent elle est la première de la classe.

Elle s'exerce à bien se tenir sur une jambe en posant la main sur la barre. Voyez comme elle est gracieuse !

Si papa était là, sûr qu'il serait fier de sa petite fille !

Pourtant, mademoiselle Irène, le professeur de Martine, a dû faire preuve de patience avec sa nouvelle élève.

– Tourne la jambe en dehors, Martine. Arrondis le bras.

Comme ceci, regarde… **Voilà, c'est presque parfait.**

Comme dit maman, « avant de savoir danser, il faut s'entraîner à devenir souple jusqu'au bout du petit doigt ».

Vingt fois, mademoiselle Irène a dû expliquer à Martine qu'on doit ouvrir le pied vers l'extérieur et lever les bras sans se raidir, avec une aisance naturelle.

– Vois-tu, Martine, un « petit rat » doit exécuter correctement les cinq positions que voici. Ce n'est pas tout.

Que dirais-tu d'une danseuse qui ne pourrait pas plier les jambes avec souplesse ni se relever sur les pointes ?

Cela paraît simple ?

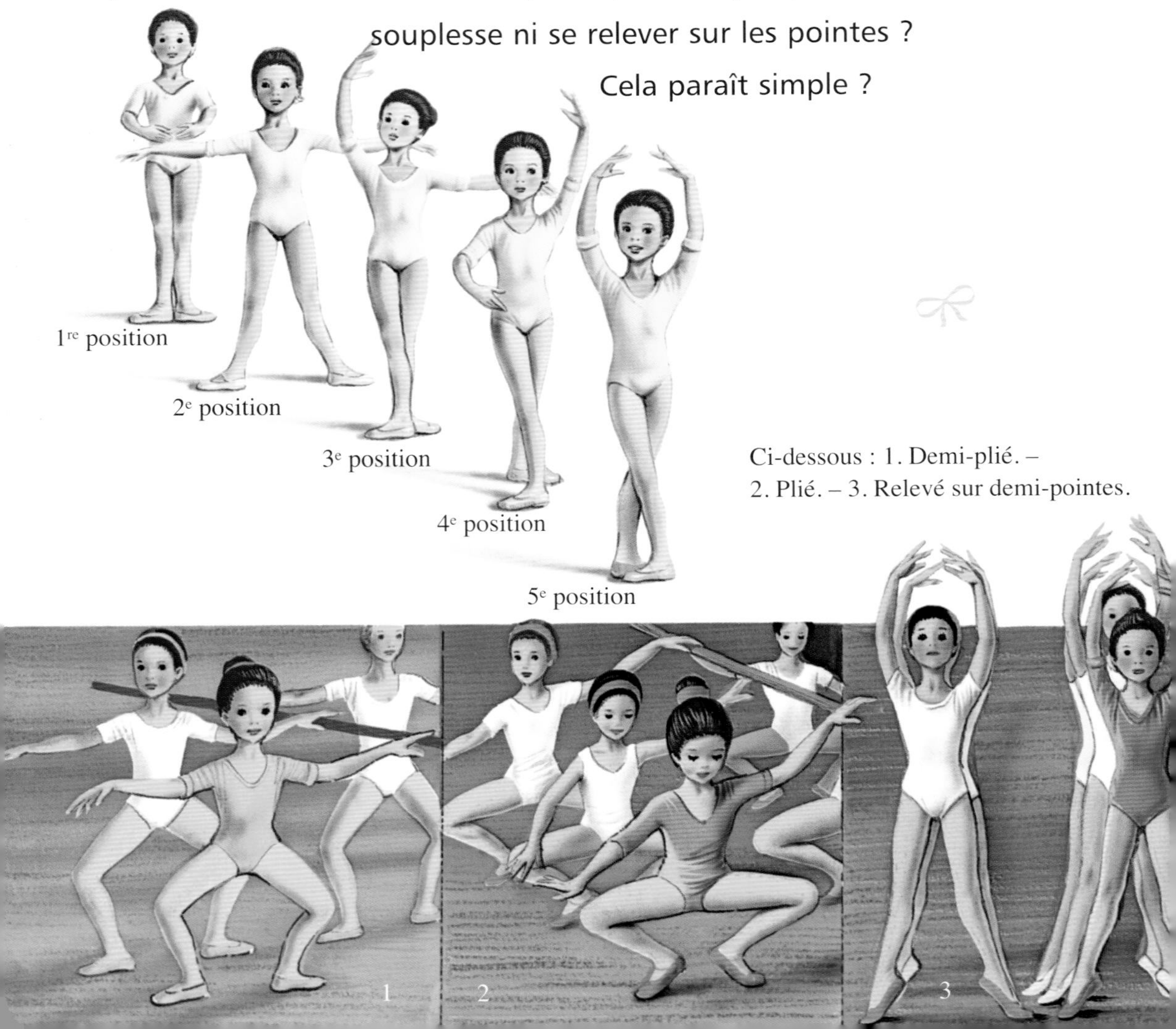

Ci-dessous : 1. Demi-plié. – 2. Plié. – 3. Relevé sur demi-pointes.

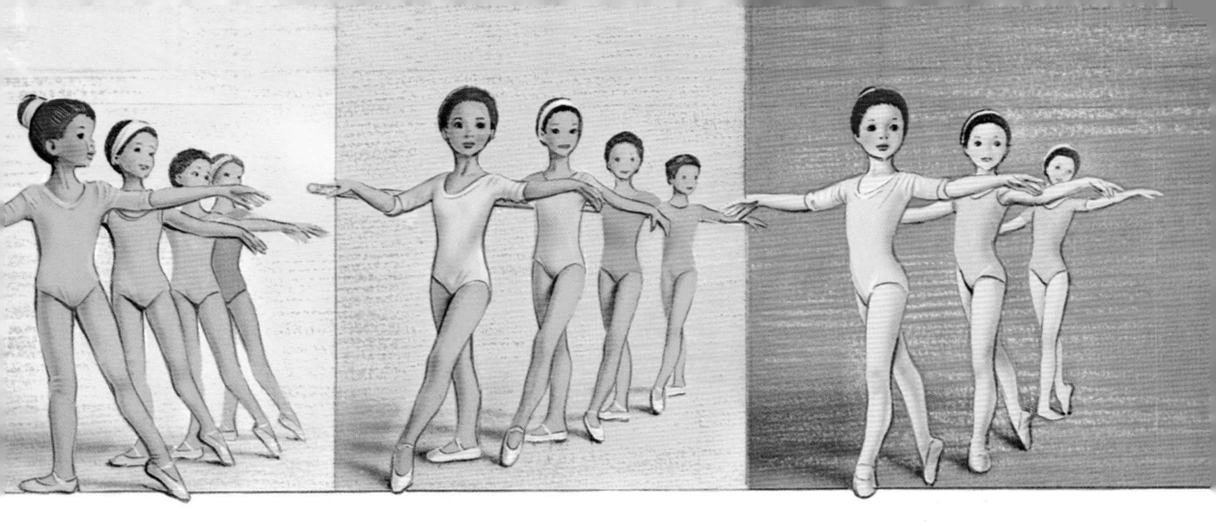

Et cependant, avant d'être une excellente élève, Martine a dû répéter et répéter encore le dégagé, le grand battement, le rond de jambe.

Ci-dessus :
1. Dégagé en 2e. –
2. Dégagé en 4e devant. –
3. Dégagé derrière croisé.

Ci-contre :
Grand battement.
Ci-dessous :
Rond de jambe.

Ah non, pas n'importe comment ! Le mieux possible et sans perdre l'équilibre. C'est ainsi, à force de persévérance, que Martine deviendra danseuse.

– Mesdemoiselles, recommençons. Regardez-vous dans le miroir au fond de la salle et suivez donc la mesure !

Une… deux… trois… quatre… Ensemble, s'il vous plaît.

Nous passerons à l'exercice suivant quand celui-ci sera parfait…

– Martine, veux-tu bien montrer à tes amies comment se tenir sur la pointe du pied ? demande le professeur.

Martine, de bonne grâce, s'exécute aussitôt.

– **Bravo Martine**, se dit Minouche, le petit chat qui est assis juste à côté du piano.
Il n'ose pas bouger, pour ne pas la distraire.
À propos, connaissez-vous Minouche ?

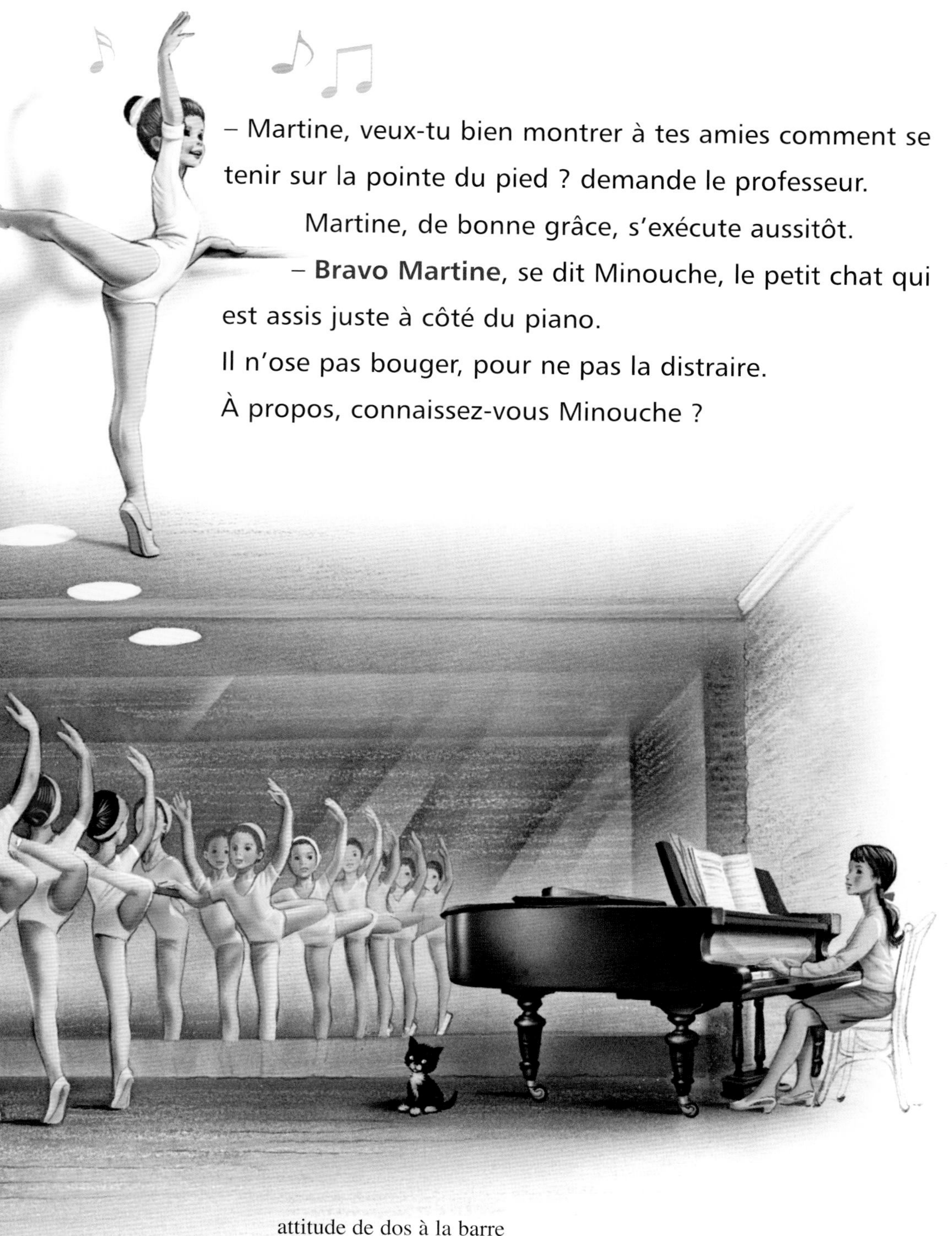

attitude de dos à la barre

Minouche vient tous les jours à l'école avec mademoiselle Irène, sa maîtresse. Il connaît les arabesques, les entrechats et les pirouettes jusqu'à la pointe des moustaches.
Lui aussi saurait prendre des attitudes. Même, peut-être ferait-il n'importe quel exercice.
Il est ce qu'on appelle un « savant Minouche ».

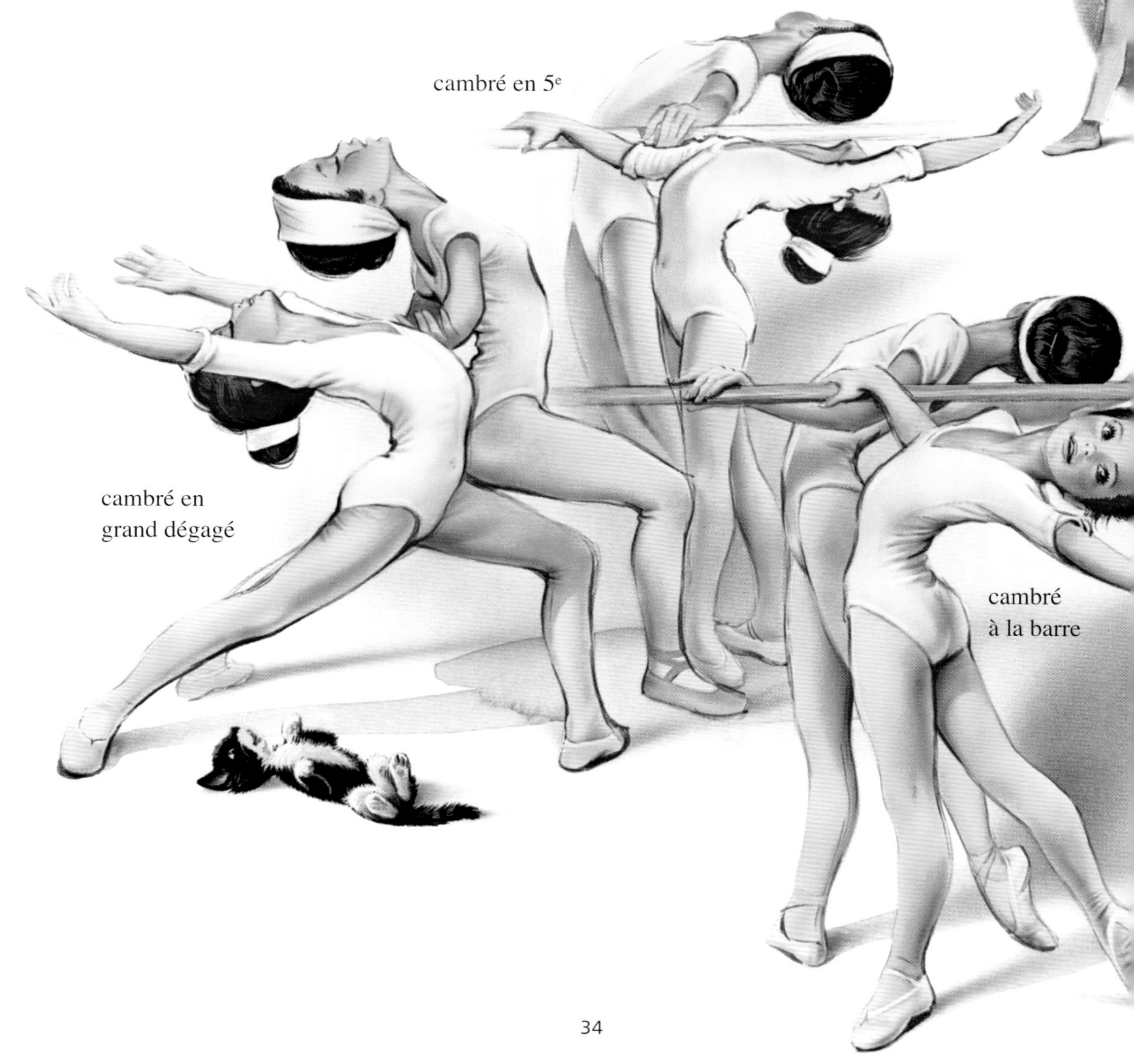

Jour après jour, semaine après semaine, Martine est devenue l'amie de Minouche. (N'importe qui ne devient pas l'ami de Minouche-le-chat-de-la-maîtresse !)

Jamais le petit chat n'a vu une élève aussi douée que Martine. Et, croyez-le, il en a connu des « petits rats » dans cette classe !

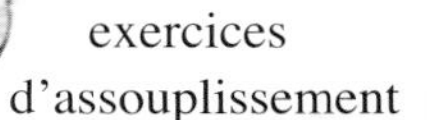

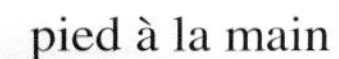

grand battement
en attitude

Si vous ne savez pas ce qu'est un « petit rat » demandez-le donc à Minouche.

– **Mais non**, vous répondra-t-il. Un petit rat, ça n'a rien à voir avec les souris. Un petit rat, c'est le nom que l'on donne aux fillettes qui ont l'âge de Martine et qui suivent les cours de la classe de danse à l'Opéra. Maintenant, vous savez ce qu'est un petit rat. Alors, allez donc voir s'exercer Martine. Son professeur vous expliquera comment on devient danseuse pour de bon.

port de bras en grand écart

Pour devenir une parfaite danseuse, il ne faut pas seulement exécuter des figures difficiles.
Martine doit aussi apprendre à balancer le bras comme pour cueillir une fleur, ou bien à lever les mains au-dessus de la tête avec grâce.
Ainsi ferait une reine qui porte sa couronne.
Sur scène, le moindre mouvement a son importance.
Une danseuse est souple comme le chat, légère comme la plume, agile comme l'écureuil, gracieuse comme le cygne.

dégagé en 4e
pointe derrière
bras en couronne

mouvement d'adage

Quand Martine danse, elle peut représenter toutes sortes d'images.
Par exemple : le feu follet dans l'herbe ou la lumière éblouissante,
ou encore, tout simplement, le papillon qui s'envole.
Cela ne s'apprend pas en une seule leçon et vaut bien la peine de faire un effort, ne pensez-vous pas ?

adage avec arabesque penchée
au milieu

tour piqué

Mais oui, Martine! Le professeur sait bien que tu as mal aux jambes quand tu rentres le soir chez toi. Ton pied ne veut plus obéir ? Demain, pourtant, il faudra continuer à t'exercer encore si, vraiment, tu veux devenir une première étoile.

– **Qu'est-ce qu'une première étoile ?** demande Patapouf qui vient justement d'apporter les chaussons de pointe de Martine.

– Une première étoile, c'est la danseuse qui danse le mieux parmi toutes celles du ballet.

On vient de très loin pour la voir virevolter sur la scène.
C'est elle que l'on applaudit. C'est elle encore qu'on réclame avec admiration lorsque le ballet s'achève et que les lumières s'éteignent bientôt dans la grande salle du théâtre où résonnent les derniers accords de l'orchestre.
Oui, Martine voudrait bien devenir un jour cette danseuse-là dont le nom figure sur les affiches et que tout le monde félicite pour son savoir-faire.

piqué arabesque

entrechat quatre

glissade « saut de chat »

pas de bourrée

grand jeté en tournant

glissade grand jeté

ports de bras

Devenir un jour une première étoile, cela n'est pas donné à chaque élève de la classe de danse.
C'est déjà très bien lorsqu'on arrive, comme Martine, à faire sans faute tous les exercices.
Pourtant, oui, le soir dans sa chambre, la tête lui tourne un peu à force d'avoir dansé tout l'après-midi avec ses compagnes. Déjà, Martine se voit dans la classe supérieure, celle des grandes élèves qu'on regarde tourbillonner en attendant que vienne le tour des plus jeunes. Il lui arrive aussi quelquefois de se croire devenue la première danseuse de l'opéra.

Alors, Martine s'endort et se met à rêver. Elle devient légère, légère. Elle est comme une plume soulevée par le vent.
Sans peine, elle exécute des glissades, des entrechats.
Elle s'envole en tournant. Elle s'élance dans un pas de bourrée. Elle fait des bonds appelés sauts de chat et grands jetés.
Et puis, tout à coup, tout s'arrête. Quelqu'un applaudit.
Tiens, voilà Minouche qui ronronne d'admiration ; Martine se détend comme si tout son corps se défaisait. Elle se dit : « Je vais sûrement me réveiller. »

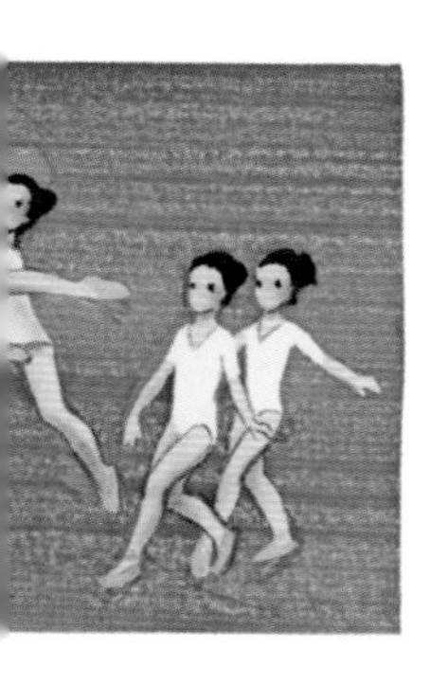

Voulez-vous savoir quel fut le plus joli rêve de Martine petit rat ? Le voici :

Un soir, elle était sur la grande scène du théâtre.

Elle achevait de danser le ballet de Cendrillon. Jamais elle n'avait dansé aussi bien que ce soir-là. Son cœur battait, battait.

Elle était si émue qu'elle n'entendit même pas les douze coups de minuit qui justement sonnaient à ce moment-là.

Minouche, dans les coulisses, s'écria :

– **Bravo, bravo,** tu es une vraie Cendrillon ! C'est…

Mais Minouche n'eut pas le temps d'achever sa phrase.

Toute la scène fut illuminée d'un coup. Alors, le prince arriva et Martine fut transformée en princesse.

Le prince la souleva dans la lumière, à bout de bras, et tous les amis de Martine qui étaient venus la voir danser ce soir-là, se mirent à l'applaudir longtemps, longtemps, comme s'ils n'allaient jamais s'arrêter.

Tel fut le plus beau rêve de Martine petit rat.

Pourtant, qui sait si elle ne sera pas un jour première danseuse pour de bon ?

martine

au pays des contes

Textes de Jean-Louis Marlier

– **Et si nous allions nous promener ?** propose Patapouf, en sautant joyeusement sur le lit.

– À cette heure-ci ? Mais il fait déjà nuit… et en plus il pleut ! répond Martine qui a sommeil. Ne me dis pas que tu veux mettre les pattes dehors par ce temps !

– Qui te parle de sortir ? Je te propose une balade à l'intérieur… à l'intérieur de ton livre plein d'histoires et de couleurs.

Il était une fois, il y a très longtemps,
un brave petit loriot tout vêtu d'or et de jais.
Sa maman l'avait tendrement prénommé
« Lorinou ».
Un joyeux loriot que celui-là ! Sitôt sorti de l'œuf,
ses chants faisaient déjà rire et danser la forêt entière...
Mais pour son malheur, dans la clairière voisine,
vivait une sorcière. Cette méchante femme n'aimait
que le sinistre concert des crapauds, et l'oisillon
babillard la dérangeait beaucoup !
Un jour, exaspérée par cette gentille boule de
plumes et son gai ramage, elle lança sur lui
une poudre magique en disant :

« Oiseau cessera de gazouiller, en garçonnet sera changé.
Oiseau redeviendra, quand les sept plumes de feu réunira. »

– **Où suis-je ?** Je connais ce pays ! Ce qui m'entoure ressemble à mon livre d'images. Je dois rêver, c'est certainement ça. Il y a autour de moi une odeur de papier et d'encre, cela fait une drôle d'impression, d'être dans un livre. Si au moins Patapouf m'avait accompagnée, je me sentirais moins seule.

– **Oh !** Là, à droite… j'entends quelqu'un qui pleure… Ce petit garçon, je le reconnais ! Vite, je saute sur l'autre page.

Un, deux, trois et hop !

– Petit garçon, petit oiseau, ne pleure plus !

– Qui es-tu ?

– Je suis Martine et je sais que ton nom à toi, c'est Lorinou. J'ai déjà lu ce livre qui raconte ton aventure. Je sais que tu recherches les plumes de feu qui mettront fin au sortilège. Acceptes-tu que nous les cherchions ensemble ? À deux, ce sera bien plus facile.

Tout en parlant, les enfants s'avancent vers une grande forêt très sombre.

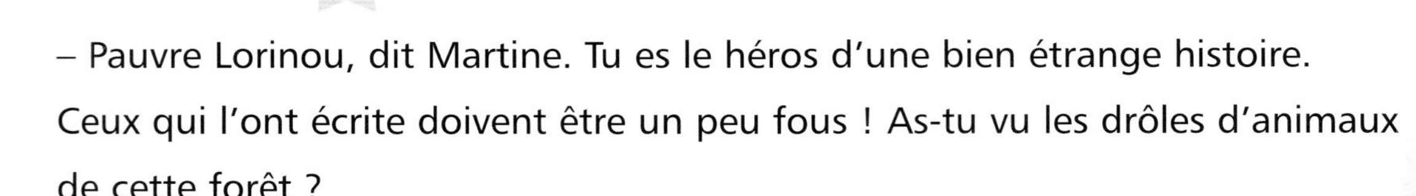

– Pauvre Lorinou, dit Martine. Tu es le héros d'une bien étrange histoire. Ceux qui l'ont écrite doivent être un peu fous ! As-tu vu les drôles d'animaux de cette forêt ?

– Qu'est-ce qu'ils ont de si étrange ? Chez toi, ils sont différents ? demande Lorinou étonné.

– Oui ! Chez moi, ils sont plus… enfin, ils sont moins… Remarque, les animaux d'ici sont très bien aussi ! **Oh, Regarde !** Des licornes ! C'est la première fois que j'en vois pour de vrai Quand je vais raconter ça à Patapouf !

– Patapouf ? C'est qui ? demande Lorinou.

– C'est… une créature fabuleuse qui vit dans mon pays.

– Attention ! Voici la première épreuve. Nous devons traverser le grand ravin en équilibre sur cet arbre. La **première** plume est là, sur la branche.

– Je me suis toujours demandé ce qu'il y avait tout en bas… C'est profond ? s'inquiète Martine.

– Personne ne le sait, le dessinateur n'y a rien dessiné !

– C'est encore bien plus inquiétant ! dit Martine qui s'avance prudemment. Encore trois pas, deux pas… **Ouf,** nous sommes passés !

– **Chuuuut !** Sur cette page, il ne faut pas faire de bruit. Voici le repaire du chat qui porte un chapeau… C'est le chapeauté.

Un lointain cousin du chat botté. Il est grand comme une maison et il a un appétit à avaler tout vifs au moins dix enfants comme nous !

– Regarde, la **deuxième** plume est là ! Il faut l'attraper sans faire tinter les grelots. Ne tombe pas !

– **Brrr !** dit Lorinou. Les chats, ça me hérisse toujours les plumes.

– Ici, il y a du bleu partout. Les arbres sont bleus, l'herbe est bleue, tout est bleu... Je me demande bien pourquoi.

Les animaux sont bleus pour passer inaperçus car quelque part, tapi dans l'ombre se cache... le loup bleu.

– **Le loup !** C'est vrai ! Je me souviens, dit Martine soudain apeurée. Cachons-nous vite derrière les branches. Ce bleu ne tache pas les vêtements, j'espère !

– Inutile de s'attarder. Il n'y a pas de plume de feu sur cette page. Allons plus loin !

– Voici un château comme dans mes rêves !

– … et comme dans mes cauchemars ! intervient le vieux jardinier. Ici demeure la fée Carabosse. Évitez-la, elle ensorcelle les voyageurs et les oblige à nettoyer le château des caves au donjon, pour toujours !

– Nous venons chercher la **troisième** plume.

– La plume de feu ? C'est impossible ! Elle orne la coiffure de Carabosse, dit la princesse Aurore en pâlissant. Au lieu de vous la donner, elle peut vous changer en lézard ou en araignée. À moins que… Par cette fenêtre ouverte ! Je vais tenter de l'y amener en détournant son attention…

Nous voilà sur la page de l'ogre à la clé d'or.
– Il a l'air d'un dangereux affamé ! dit Martine.
– Garrabouffe, dangereux ? **Oh non !** Je vais te confier un secret : il fait semblant d'être méchant, mais en réalité c'est mon copain. Parfois, quand le livre est refermé, on joue à cache-cache tous les deux.

Le plus drôle, c'est qu'il est tellement grand qu'il ne parvient jamais à se cacher tout entier.

– **Oh ! Garrabouffe !** Réveille-toi et ouvre-nous la porte.
Écarquillant les yeux, l'ogre pousse un grognement terrible !
– Te fatigue pas, mon gros, c'est une amie.

– **Plus haut ! Encore plus haut !** Je la vois au sommet de cet arbre. Je la tiens. Je tiens la **quatrième** plume, s'écrie Lorinou !

– C'est tellement gentil de nous avoir aidés, dit Martine. Venez quand vous voulez chez moi et je vous préparerai un énorme gâteau !

Les elfes se mettent à rire.

– Nous ne mangeons pas de gâteau, nous ne buvons que le nectar des fleurs. Si tu le permets, nous viendrons peut-être nous abreuver dans ton jardin, un soir d'été. Merci pour l'invitation !

– Nous voici dans le territoire du dragon.
Pour un oui ou pour un non, il crache d'énormes gerbes de feu ! Avec ses bêtises il fait des trous partout ! Il va finir par mettre le feu au livre ! dit Martine. Si j'étais sa maman je ne le laisserais pas jouer avec les allumettes !

– La **cinquième** plume est sous une pierre calcinée. La voici !

– Prends-la, Martine, et sauvons-nous !

– Cette histoire est complètement folle ! Nous quittons le feu du dragon pour nous jeter dans l'océan.

– Plonge, Martine ! Plonge avec moi ! La **sixième** plume est tout au fond, dans le grand coquillage.

Au loin là-bas, la plage de sable blanc et les palmiers, c'est l'île au trésor.

Les pirates des sept mers sont venus y cacher coffres, bijoux, tissus précieux et pièces d'or.

– **Non ! Ce n'est pas possible !** La septième plume n'est pas à sa place !

– Tout est perdu, se désole Lorinou. Jamais plus je ne redeviendrai oiseau !

– Ne perds pas courage ! dit Martine.

Je pense que la sorcière A TRICHÉ !

Cette plume se trouve chez elle et nous allons la lui reprendre !

Voici mon plan. Il faut réunir nos amis...

– **Madame la sorcière !** crie Martine. **Sortez vite !** Lorinou a trouvé les sept plumes !

– Vous mentez ! rugit la sorcière. C'est impossible ! Il ne peut les avoir toutes ! La **septième**, c'est moi qui l'ai ! Elle est ici, dans ma main !
Alors, rapide comme l'éclair, l'elfe saisit la plume. Au même instant Garrabouffe avale, d'un coup, d'un seul, la sorcière et son chapeau.

– **Burp !** Cette sorcière a bien mauvais goût ! dit l'ogre en recrachant le balai.

– **Bravo Garrabouffe ! Bravo petit elfe !** s'exclame Martine. Grâce à vous, nous avons les sept plumes ! Lorinou va redevenir oiseau ! Il faut que je vous embrasse !

Garrabouffe ne se le fait pas dire deux fois… Il a ôté son chapeau et, quand Martine dépose sur sa joue un gentil baiser, le géant rougit comme une demoiselle.

– Enfin redevenir oiseau !
Quelle chance ! dit Lorinou le loriot !
Mes ailes me manquent tellement !
Je vais à nouveau pouvoir chanter haut
dans le ciel. Merci !
Merci à vous tous pour…
Il n'a pas le temps de finir sa phrase car
le maléfice prend fin.
Sous les yeux de Martine émerveillée,
l'oiseau reprend son vol !
– Envole-toi haut ! Très haut !
crie Martine. Nous avons réussi !

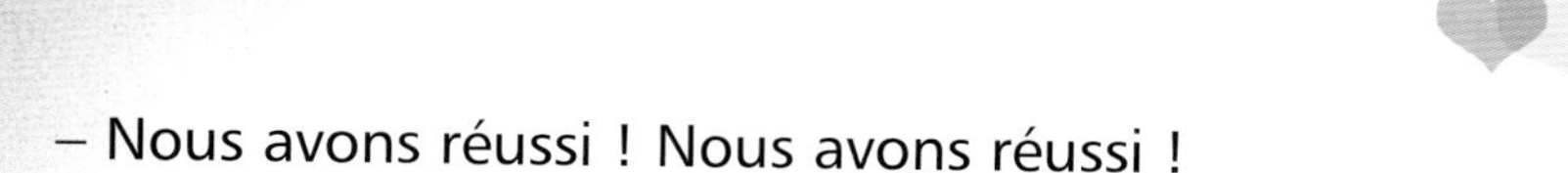

– Nous avons réussi ! Nous avons réussi !

– **Woûaff !** Réveillé par la voix de Martine, Patapouf saute sur le lit pour lui souhaiter le bonjour.

– **Oh ! Patapouf !** Si tu savais ! J'étais dans un livre avec Lorinou l'oiseau. C'est formidable, les livres. Quand on sait lire, on fait des voyages merveilleux, on découvre des amis, on vit plein d'aventures.

Patapouf la regarde :

– La prochaine fois, tu m'emmèneras ? Dis ! Tu m'emmèneras ?

– Où ? demande Martine. Dans mes rêves ?

– **Non ! À l'école. Je veux apprendre à lire !**

martine

drôles de fantômes

Textes de Jean-Louis Marlier

AAAAAAAAAAAH !

Martine pousse un long cri dans la nuit. Elle se réveille en sursaut !

Une escadrille de fantômes vient d'entrer dans sa chambre.

Elle se débat, elle allume la lumière et… non ! Il n'y a personne.

BRRR ! Quel horrible cauchemar !

En décorant le sapin, Martine raconte son rêve.

– Maman, pourquoi, dans les vieilles maisons et les châteaux, on voit toujours voler des méchants draps de lit et pas des petits anges ? Des anges ou des fées, ce serait plus gentil.

Dans le film que j'ai vu hier…

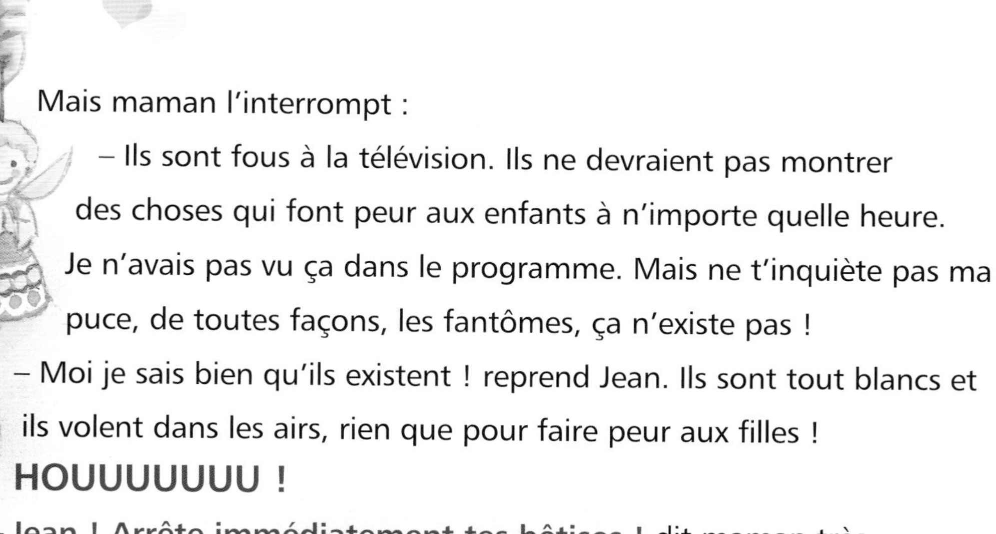

Mais maman l'interrompt :

– Ils sont fous à la télévision. Ils ne devraient pas montrer des choses qui font peur aux enfants à n'importe quelle heure. Je n'avais pas vu ça dans le programme. Mais ne t'inquiète pas ma puce, de toutes façons, les fantômes, ça n'existe pas !

– Moi je sais bien qu'ils existent ! reprend Jean. Ils sont tout blancs et ils volent dans les airs, rien que pour faire peur aux filles !

HOUUUUUUU !

– **Jean ! Arrête immédiatement tes bêtises !** dit maman très en colère.

Ce soir, Martine est seule à la maison. Papa et maman rendent visite à un oncle malade, et Jean est à la chorale. Ce n'est pas la première fois que Martine reste seule. Elle est grande, donc elle n'a pas peur. Pourtant, cette fois, à cause de cette histoire de fantômes, Martine n'est pas rassurée.
– **BRRRR.** Je n'aime pas ce silence !

Heureusement, Patapouf est là.
– **Patapouf !**
Viens ici mon chien !
Je vais te brosser.

J'ai bien de la chance d'avoir un bon chien de garde comme toi !

– **Whaou !** Avec moi, tu ne risques rien ! Je suis courageux, dit Patapouf très fier de son rôle important.

Si quelqu'un s'approche de ma maîtresse, **hop !**

Aussitôt, je lui mords les fesses !

Drrrring ! Drrrring ! Drrrring !

– Trois coups de sonnette. C'est sûrement Jean, dit Martine. Il a dû oublier ses clefs.

– Fais quand même attention, lance Patapouf qui se cache déjà, derrière le porte-parapluie.

Martine entrouvre
prudemment la porte.
Elle se penche, à gauche,
à droite… personne !
Un petit vent glacial s'engouffre
dans la maison.
La fillette frissonne des pieds
à la tête.
BRRRR !

– Si celui qui a sonné se cache,
c'est certainement pour me
faire une blague ! se dit-elle
en refermant la porte.

Soudain, là-haut, des bruits bizarres se font entendre.
Au grenier, quelque chose va de gauche à droite... puis rebondit vers la fenêtre...

– **C'est... c'est un fantôme ?** questionne Patapouf.

– On va en avoir le cœur net ! répond Martine.

Suivie par le petit chien qui n'ose pas rester seul, elle monte le lourd escalier de meunier.

– **Chut !** pas un bruit !

Tout doucement, Martine soulève la trappe...

Des souris, des petites souris de rien du tout qui jouent au rugby avec des noix… Et je te la lance, et je te la fais tournoyer, et les noix roulent sur le plancher en faisant tout un vacarme dans la nuit…

Mais soudain, c'est l'alerte. Toutes les souris lèvent la tête…

De quoi ont-elles peur ?

D'un vrai fantôme cette fois ?

Vol silencieux et masque blanc, une chouette effraie fond vers le sol. Prises de panique, les souris laissent là leurs jeux et plongent dans le premier trou venu… **ouf**, juste à temps !

C'est raté pour la chouette ! La dame blanche ne peut pas gagner à chaque fois. Elle devra trouver ailleurs son repas. La voilà qui marche vers la lucarne. Sur le sol, ses serres font un bruit de capitaine à la jambe de bois : **plic, ploc, plic, ploc…**

Enfin, elle reprend son vol vers le grand ciel étoilé.

– As-tu vu comme elle était belle ? demande Martine à Patapouf.

Vite ! Il faut refermer cette fenêtre… En plein hiver, ce n'est pas très intelligent de la laisser ouverte.

DRRRRING !

On sonne encore. Qui est-ce ?

En se penchant à la fenêtre du grenier, Martine aperçoit… Jean !

Jean qui sonne à la porte et puis se cache.

– Ce grand nigaud veut vraiment me faire peur !

Viens Patapouf, on va bien l'attraper.

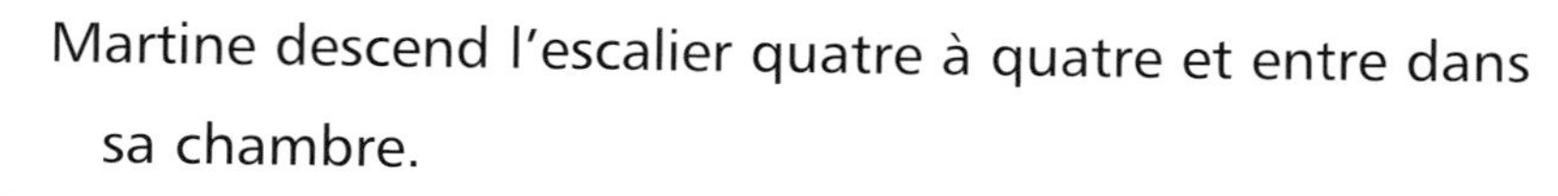

Martine descend l'escalier quatre à quatre et entre dans sa chambre.

– Voyons, un ballon, un drap, un cintre, une canne à pêche… J'ai aussi besoin de ficelle.

– Qu'est-ce que tu fais ? demande le petit chien. **Pas trop fort** ! Tu vas le faire éclater !

– Maintenant je fais un nœud et j'attache le ballon au cintre, poursuit Martine.

Patapouf ne comprend vraiment rien à ce que manigance sa petite maîtresse.

DRRING ! Jean sonne encore. Il faut faire vite car, fatigué de ce petit jeu, le garçon va finir par entrer avec sa clé.

– Voilà qui fera l'affaire !
Avec le drap par-dessus et
la ficelle, nous avons un
fantôme très présentable !
Patapouf, je compte sur
toi…
Descendons ! À notre tour
de jouer à faire peur.

Un quart d'heure plus tard,
Jean entre enfin…
– **Martine ? C'est moi !** crie-t-il.
Où es-tu ?
Pas de réponse.
– **Martine ?** demande t-il encore.
C'est alors que Patapouf se met
à hurler comme un fantôme,
un loup-garou.

HOUUUUUUUUUU !

Les cheveux de Jean se dressent sur sa tête.

Martine, cachée derrière la bergère, tire aussitôt sur une ficelle et la chaise qui se trouve près de Jean se déplace toute seule.

– Que… que se passe-t-il ? bégaie Jean.

C'est toi Martine ?

Gling gling…

Voilà que les boules du sapin s'entrechoquent. Tout l'arbre tremble, comme s'il était vivant.

C’est une idée de Patapouf : il a attrapé une branche
avec sa gueule et secoue l’arbre de Noël.
Toute la pièce semble hantée.
Jean n’ose plus bouger.
Soudain, derrière lui, un craquement…
Il se retourne et, dans l’encadrement
de la porte, il devine une forme blanche
qui vole au-dessus du sol et se balance…

Un… fantôme !

Jean ne cherche plus à comprendre. Il prend ses jambes à son cou et se réfugie dans le jardin.

Alors, Martine triomphante monte bien vite dans sa chambre et plonge dans son lit, comme si de rien n'était.

Dehors il se met à neiger. Jean, qui commence à avoir bien froid, se dit que finalement, ce n'est pas possible, les fantômes n'existent pas…

Est-ce une farce de sa petite sœur ?

Il rentre à nouveau dans la maison et grimpe en courant dans la chambre de Martine.

– **Tu es là ?**

– **Pourquoi me réveilles-tu ?**
demande Martine, qui fait
semblant de dormir.
Jean s'assied sur le fauteuil.
Il n'y comprend plus rien.
Si Martine et Patapouf
dormaient…
alors qui… ?

– Tu sais, dit-il
timidement, je te demande pardon
pour hier. Je ne voulais pas te faire peur
avec cette histoire de fantôme.

Si tu veux, pour que tu n'aies pas de cauchemars, je vais dormir avec toi cette nuit.

– **C'est gentil !** dit Martine.

En quelques minutes, Jean a mis son pyjama et s'est couché. Avant d'éteindre la lampe, Martine le regarde… ce soir, c'est elle qui protège son grand frère.

Ces garçons, ce qu'ils sont peureux !

martine

princesses et chevaliers

Textes de Jean-Louis Marlier

Martine et sa famille s'activent fièvreusement, et ils ne sont pas les seuls ! La confrérie est présente au grand complet : le boucher, le quincaillier, le facteur, sa sœur médecin et puis tous les autres.

– **J'ai encore besoin du tissu orange !** crie Solange.

– Pas facile de confectionner un hennin ! dit Sophie, dont le chapeau trop mou fait la grimace.

– Je n'ai pas l'air trop ridicule avec ces poulaines et ce pourpoint ? s'inquiète papa.

– Patapouf, apporte-moi cette boîte de clous ! demande grand-père. J'en ai besoin pour terminer la décoration du chariot.

À deux pas de là, les fils de Paul s'entraînent dur. L'instituteur joue le maître d'armes. Il leur apprend comment simuler un combat sans jamais se faire mal.

Martine, quant à elle, termine la couture de sa robe avec maman, car demain elle sera princesse !

Le grand jour est arrivé, mais Patapouf n'a pas encore bien compris ce qui se passe.

– **Pourquoi cette charrette ? Pourquoi êtes-vous déguisés ? Où allons-nous ?** demande-t-il à Martine.

– Nous partons tous en voyage, lui répond la fillette.

– En voyage ? Mais où ? insiste le chien.

– **Très, très loin,** et pourtant tout près d'ici. Un pays où il n'y a ni voitures ni bicyclettes. Pas même d'électricité… tu te rends compte ?

– Très loin et tout près ? Martine devient folle, se dit Patapouf… ils sont tous fous !

Hue-dia… le chariot franchit la porte de pierre de la vieille ville.
Mais… c'est bien la rue que Patapouf voit chaque jour et pourtant rien n'est plus pareil, plus de bruits de moteurs ni de klaxons…
Là-bas, Silvaine, la pervenche, dans un drôle d'uniforme, fait disparaître le sens interdit sous un grand drapeau. Très près et très loin… nous sommes dans la même ville mais… au **Moyen-âge**.

Sur la place, l'écrivain public propose
calligraphies et lettres d'amour.

La boulangère vend son pain tout chaud et
le colporteur, son élixir miracle.

– Souhaitez-vous un joli pot ? Ou une cruche ? demande un artisan.
Martine éclate de rire en le reconnaissant. C'est Bernard, le banquier qu'elle croise d'habitude en chemise blanche et cravate.
Le voilà aujourd'hui derrière un tour de potier, de la glaise plein les mains.
Plus loin, Sandra tient la quenouille et Cathy montre aux chalands de lourdes étoffes décorées de dragons, de fleurs, de chevaliers.
– Comme ce tissu ferait une jolie robe, se dit Martine.
– **Faites place ! Manants !**
Tout le monde s'écarte plein d'admiration. Guillaume passe sur son cheval. Il porte l'habit d'un grand personnage, son faucon sur le poing.

Les yeux levés
pour l'admirer, Martine
n'a pas vu l'armure gisant à ses pieds. Elle manque de tomber !

– **Oh ! Pardon, Monsieur...** dit-elle.

– À qui dis-tu monsieur ? demande Patapouf qui s'est approché prudemment. Il n'y a personne là-dedans.

– **Bonjour Martine !** lance gaiement le père Julien. Aujourd'hui je suis forgeron. J'ai bien du travail ! Ce heaume n'est pas facile à défroisser. Et **BING**, et **BING**. Son gros marteau résonne sur l'enclume.

– Bien le bonjour,

gente Damoiselle ! dit une voix derrière Martine.

– **Cédric !**

Martine est si heureuse de le retrouver. ça fait tellement longtemps !

– Je t'ai reconnue tout de suite, dit le garçon. Quelle jolie robe !

Idéale pour le bal !

Si tu veux, je t'y emmène… oui ?

Le sourire de Martine est une réponse.

La prenant fièrement par la main, il se fraie un chemin parmi la foule des badauds.

La placette aux oignons est occupée par la cour d'un seigneur et par ses musiciens.

– **Acceptez-vous cette danse ?** demande Cédric…

Martine n'attendait que cela.

Mais voilà que sonne la cloche de l'église !

– **Déjà ?** Vite, je vais être en retard pour la quintaine !

– La quintaine ? C'est quoi ? demande Martine.

– Suis-moi et tu verras !

– **On ne passe pas !** dit soudain d'une grosse voix le capitaine des archers. Nous recherchons de nouvelles recrues. Voulez-vous essayer ? Double solde à qui mettra la flèche dans la cible de paille, là-bas à quarante pas.

Comme c'est dur de tendre cette corde ! La flèche de Cédric prend son vol mais se fiche dans le sol à peu de distance.

La flèche de Martine… hem, il vaut mieux ne pas en parler.

C'est qu'il faut beaucoup d'entraînement pour utiliser un arc !

Le capitaine les laisse partir. Ils ne seront jamais archers du roi.

Plus loin on se bat à l'épée…

– Je sais que c'est un combat pour rire, dit Martine, mais c'est très impressionnant !

Clang, bling, les épées s'entrechoquent, les moins vaillants préfèrent bien vite rendre les armes. Pas si facile, la vie de chevalier ! Soudain, Bénédicte, la crémière de la rue des hérons entre en lice, forte comme un cheval. Trois tours de poignet et voilà les plus farauds désarmés et honteux…

– **Vive Bénédicte**, crie en chœur la foule.

– Attention la tête ! Massues et diabolos volent dans les airs. Envahissant la place, les jongleurs mettent fin aux hostilités.

Deux boules, c'est fastoche ! Trois, c'est déjà plus compliqué !

– **Vas-y Martine, plus haut, plus vite !**

– Martine ! Viens ! je vais être en retard ! presse Cédric.

Voilà enfin la quintaine !
Monté sur un cheval, en plein galop et du bout de la lance, il faut percuter le bouclier du mannequin ! Mais attention ! Celui-ci se défend car il tourne sur lui-même et vous frappe par derrière.
Si vous n'êtes pas bon cavalier, gare à vous ; vous mordrez la poussière !
Cédric monte sur son fier destrier.
Martine s'avance vers lui, très sérieuse.
Et comme le font les princesses pour les preux chevaliers, elle attache à la lance le ruban de sa coiffe.

– Chevalier, je fais de vous mon champion ! dit-elle.

Cédric salue alors l'assemblée qui applaudit et s'avance seul sur le champ clos.

Attention ! Le moment est grave... il se concentre, le cheval frémit...

il s'élance !

Frisson dans l'assemblée. Le choc est brutal, la quintaine tourne dans sa terrible riposte... mais Cédric se baisse et évite le choc de justesse...

Ouf ! Martine respire enfin ! Son héros est sain et sauf et il a prouvé sa bravoure.

La nuit est maintenant tombée sur la fête.

– Les émotions, ça creuse, dit Martine.

– Asseyez-vous les enfants, dit une commère, je vais vous préparer pour chacun un beau morceau. Vous m'en direz des nouvelles !

Au-dessus du brasier, gigots et cochons de lait cuisent doucement.

Le feu crépite, sa belle lumière caresse les visages.

– Comme on est bien, dit Martine. J'aimerais pouvoir m'endormir là, à la belle étoile, près du feu.

Mais ce n'est pas le moment du coucher.
Un cortège s'avance conduit par la joyeuse musique d'une flûte et d'un luth. Ce sont les baladins qui s'en viennent conter fables et historiettes.

– **Gentes Dames et Damoiseaux, approchez de nos tréteaux.**
Oyez l'histoire du goupil nommé Renart et de son malheureux cousin le loup Isengrain.
Et avec quelques masques, la mélodie des voix, la magie des ombres et des lumières, voilà que tout un bestiaire envahit l'espace.

Puis, les comédiens racontent l'histoire du bon Saint Georges terrassant la bête.

Soudain, alors que tombent les masques, une flamme fabuleuse monte dans le ciel.

– **Au secours**, crie Patapouf ! Un dragon !

Pas de dragon, mais des cracheurs de feu. Point final du spectacle, ils illuminent l'espace pour que vive encore la lumière, pour que dure la fête.

Tout cela est tellement beau que Martine se sent soudain un peu triste.

– J'avais presque oublié le vrai monde, dit-elle. J'ai du mal à croire que demain tout sera redevenu comme avant. De nouveau les voitures et tout le reste !

– Oui, mais aussi le téléphone ! dit Cédric ! Maintenant que nous nous sommes retrouvés, on va s'appeler !

– Oui Chevalier, vous avez raison ! dit Martine qui retrouve le sourire ! Allez ! **On va fêter ça !** Je t'offre un verre.

– Combien pour deux jus de pomme ?

– Trois Carolus, Damoiselle ! dit le vendeur.

Le carolus c'est la monnaie de Charlemagne… vous savez, celui qui, au Moyen-âge, a inventé l'école…

L'école ! Demain c'est aussi l'école ! Martine n'y pensait plus ! Sûr que l'on va y parler beaucoup du Moyen-âge !

– J'ai déjà hâte d'y être pour raconter tout ce que j'ai vu. Allez ! Santé !

martine

et le prince mystérieux

Textes de Jean-Louis Marlier

– **Voulez-vous un autographe ?**

Depuis qu'il a fait du cinéma, mon Patapouf se prend pour une star ! C'était à Venise, pendant les vacances de carnaval. Un grand metteur en scène l'avait choisi pour jouer le rôle du compagnon d'Arlequin.

Chien fidèle, il apportait à son maître le cadeau de Colombine.
« Les acteurs sont maquillés ? En place. Silence... **Action !** »
Une prise, deux prises... cinq prises... « **Coupez !** »

Le cinéma, c'est amusant au début mais on s'ennuie très vite.
Moi j'aurais préféré être là-bas, dehors, dans cette ville
où il y a tant à voir.

Pendant la pause, je suis descendue au bord du canal.

J'écoutais le clapotis de l'eau quand, soudain…

– **Hep, vous…**

Quelqu'un m'appelait.

– Pouvez-vous m'aider ? a chuchoté le jeune garçon.

– Vous aider ? Comment ?

– Sautez dans la barque et ramez. Il faut nous éloigner au plus vite car des méchants veulent m'attraper.

Sans réfléchir, j'ai obéi.

– Merci. Vous sauvez la vie du dernier Prince de Venise, a continué l'étrange personnage après quelques instants. Mais ne restons pas ici. Il faut attacher la barque et s'éloigner encore avant qu'ils nous retrouvent.

Un prince poursuivi par des ennemis ? Quelle histoire et quelle course folle à travers la ville ! Des ponts, des escaliers… il faut de bonnes jambes pour fuir dans Venise. Mais fuir qui ? Où étaient-ils ces méchants dont le prince avait parlé. Étaient-ils derrière nous ou bien là, à nous attendre dans un coin sombre, cachés sous l'un ou l'autre masque ?

Moi, j'étais inquiète. Le prince semblait joyeux, comme s'il avait oublié la terrible menace.

De temps à autre, quelqu'un lui criait : « **Buongiorno, Pepino** ». À quoi il répondait d'un grand bonjour et d'un signe de la main. Moi, je me disais : pour un prince, il n'est pas fier et il a beaucoup d'amis.

– Êtes-vous certain que les méchants vous poursuivent encore ? lui ai-je demandé.

Il s'est figé…

– Là-bas ! a-t-il murmuré en remuant à peine les lèvres. Ils nous observent. Partons vite !

Nous avons couru, couru toujours plus loin pour ne nous arrêter qu'à l'abri d'une grosse colonne.

– Est-ce… que vous les voyez toujours ?

– Non, pour l'instant nous sommes hors de danger, mais restons sur nos gardes.

Sur la place, une petite fille m'a saluée comme si j'étais une grande dame. Il est vrai qu'avec le diadème et la jolie robe prêtés pour le film; je n'étais plus une simple fille nommée Martine mais quelqu'un d'autre, une princesse. Ça m'a donné une idée.

– Monsieur, ai-je lancé. Pourquoi ne pas échanger nos vêtements. Je suis persuadée qu'ainsi déguisé personne ne vous reconnaîtrait !

Le visage du garçon est devenu tout rouge.

– **Moi ? En fille ?** Vous êtes folle, je suis un prince !

– **Oups**, pardon ! J'ai dit une bêtise.

– N'en parlons plus, je vous offre un chocolat chaud, m'a dit le garçon.

Dans le restaurant somptueux, où nous sommes entrés, tous riaient et buvaient.

Mon prince a extirpé quelques pièces de son habit mais…

– **Zut**, je n'ai pas assez. J'ai… J'ai oublié mon or au palais, s'est-il excusé d'un air piteux.

Nous sommes donc ressortis sans rien boire… Voilà un drôle de prince.

Si vos ennemis sont si nombreux, pourquoi prendre le risque de courir dans la ville au lieu de vous cacher ?

– C'est que… a bafouillé le prince… je… je dois retrouver l'homme au masque à plumes rouges. Lui seul pourra me protéger.

– Un masque à plumes rouges ? Justement il y en a un, là-bas.

Le voyez-vous ? Venez vite.

Monsieur, Monsieur ! Le prince a besoin de vous, ai-je crié à l'homme qui semblait ne rien comprendre.

– Ce n'est pas lui, a chuchoté le garçon en me tirant en arrière. Il faut chercher encore.

Une aiguille dans une meule de foin. Comment trouver cet homme emplumé de rouge dans une ville aussi grande, si pleine de monde, de masques et de chapeaux extravagants ? Sans compter les méchants qui eux sont partout.

– Ne vous retournez pas. Là-haut, certains nous observent. **Vite !** Éloignons-nous plus encore.

– Prince, ai-je dit, il est tard. Nous ne pouvons pas courir ainsi toute la nuit.

– C'est dommage, a-t-il répondu tristement, on s'amusait bien.

– **S'amuser ?** me suis-je exclamée, surprise.

– Enfin… s'est repris le prince, je veux dire… Mais vous avez raison, venez, je vais vous faire reconduire chez vous.

Sur le quai du grand canal, mon guide s'est approché d'une embarcation.

– Luigi, peux-tu raccompagner…

– « **Martine** », j'ai dit. Mon prénom, c'est « **Martine** ».

– Peux-tu raccompagner Martine jusqu'à son hôtel ?

Le rameur m'a fait signe de monter.

– Tandis que la gondole s'éloignait, là-bas le prince a crié :

– **À demain**, au même endroit. Je vous attendrai. Nous pourrons continuer nos recherches et puis j'aurai… j'aurai des pièces pour le chocolat.

Je lui ai fait un signe de la main.

– Il y a longtemps que vous connaissez le prince ? ai-je demandé au gondolier.

– **Pepino ?** C'est mon petit frère !

– Il n'est pas… Il n'est pas un vrai prince ?

L'homme a arrêté son geste pour me regarder en souriant.

– Vous savez, jolie Demoiselle, ici, en cette période de l'année, chacun a le droit, s'il le veut, de s'imaginer prince ou… princesse.
Notre Pepino a beaucoup d'imagination. Il inventerait n'importe quelle histoire pour se sauver de la maison pendant le carnaval. Il ne faut pas trop lui en vouloir.
Je ne lui en voulais pas.

J'ai retrouvé mon Patapouf.

– Demain, lui ai-je dit, je te présenterai un prince.

– Un vrai prince ? a-t-il demandé.

– Aussi vrai que toi, tu es un grand acteur.

Ce soir-là, nous avons rêvé tous les deux, Patapouf à ses succès de cinéma, et moi… au prince Pepino.